KREUZ & GUT
Stickleidenschaft

Sticken – eine Leidenschaft

Wenn dies auf Jemanden zutrifft, dann auf Regina Irlenborn. Seit vielen Jahren verstickt sie Faden um Faden zu kunstvollen Motiven. Es ist die feine, stille Kreativität, die wir auch in ihr persönlich entdecken und sehr schätzen.

Mit an ihrer Seite und ständiger Quell an Ideenreichtum ist Karin von Winterfeld. Gemeinsam kreieren diese beiden Frauen gestickte Kunstwerke. Würden wir alle Motive aneinanderreihen und an die Wand hängen, wir bräuchten Stunden um Stunden, um all die vielen Details zu entdecken. Es käme einer Kunstausstellung gleich. Einer Vernissage für textile Kunst.

Wir zeigen Ihnen in diesem Buch einen kleinen Teil ihrer Werke, die wir zu textilen Gestaltungen, wie Kissen, Taschen, Läufern, Decken, Bildern, Karten und mehr verarbeitet haben. Entdecken Sie, wie vielfältig und unterschiedlich die Verwendung einer schönen Stickerei sein kann.

E grüßen Sie herzlich
Ute Menze und Meike Menze-Stöter

Regina Irlenborn

Vorwort?

Ich möchte Sie nicht lange aufhalten. Legen Sie sich lieber schon mal Ihre Sticksachen zurecht!

Mein Anliegen ist es nämlich, Sie mit meiner Stickleidenschaft anzustecken. Und Ihnen Lust auf Veränderungen zu machen. Stickmuster sind keine Gesetze!

Sehen Sie selbst, was acufactum aus den ursprünglich im Petit Point entworfenen Mustern gemacht hat.
Farben geändert – Stickgrund geändert – Zusammenhänge aufgelöst – nur ein Herz statt eines kompletten Rechtecks gestickt: so relativ einfach lassen sich Entwürfe verändern.

Das können Sie auch!
Sticken Sie los! Es macht so viel Freude.

Mit besten Grüßen
Regina Irlenborn

P.S.: Und wer steckt eigentlich hinter den Stickmustern? Diverse kreative Köpfe haben für meine Firma „Der feine Faden" schöne, bunte, zeitlose und vielseitige Muster entwickelt. In diesem Buch finden Sie auch Motive, die auf Irmgard Helms und Katharina Dirichs zurückgehen.
Meine wichtigste Stütze, Karin von Winterfeld, sehen Sie neben mir auf den Fotos. Ihr verdanke ich besonders viele Entwürfe.

Leinentasche

Größe 40 x 35 cm / Stickereigröße 40 x 1,8 cm / Stickmuster Seite 69

Material: Leinentasche 40 x 35 cm mit langem Griff, Art.-Nr. 3133-134-02 / 0,45 m Leinenband gebleicht 2 cm breit, Art.-Nr. 305-900-20 / 0,90 m Leinenzackenlitze, Art.-Nr. 6357-511

Anleitung: Sticken Sie das Stickmuster im Kreuzstich mittig auf das Leinenband über eine Länge von 40 cm. Nähen Sie das Leinenband mit der darunterliegenden Zackenlitze 3,5 cm vom oberen Rand entfernt auf die Leinentasche.
Die Leinentasche gibt es in weiteren Ausführungen: 40 x 35 cm mit kurzem Griff, Art.-Nr. 3133-134-01 / 40 x 45 cm mit kurzem Griff, Art.-Nr. 3133-134

Tipp: Das schmal bestickte Leinenband macht sich auch gut als Schlüsselanhänger. Hier wird die Zackenlitze zwischen dem Band festgenäht. Ein Schlüsselring wird ebenfalls an einer Seite mit festgenäht.

Läufer Blütezeit

Größe 160 x 11 cm / Stickereigröße max. 6,5 x 7,5 cm / Stickmuster Seite 52 und 53

Material: 1,70 m Leinenband ungebleicht 10 cm breit, Art.-Nr. 305-901-100 / 3,40 m Samtpaspel rot, Art.-Nr. 6425-0161-011-360

Anleitung: Sticken Sie die Veilchen laut Foto in einem Abstand von ca. 3 cm zueinander mittig auf das Leinen. Fünf Blüten schauen in die eine Richtung und fünf in die andere Richtung. Nähen Sie die Samtpaspel links und rechts an das Leinenband. Am Anfang und Ende bleiben ca. 5 cm frei für den Saum. Säumen Sie die Schnittkanten 2,5 cm breit.

Plaid „Viola"

Größe 160 x 200 cm / Stickereigröße max. 6,5 x 8,5 cm / Stickmuster Seite 52 und 53

Material: 2,00 m Plaidstoff mit Karomuster, 160 cm breit, Art.-Nr. 3395-104 / 0,60 m Seide rot-beige meliert, 135 cm breit, Art.-Nr. 3259-70151-1338 / 1,00 m Vlieseline, Art.-Nr. 3255-106

Zuschnitt (inkl. 1 cm Nahtzugabe): Seide: 5 Stück 130 x 12 cm

Anleitung: Sticken Sie die Veilchen im Kreuzstich gleichmäßig verteilt in die Aida-Karos des Plaidstoffes. Nähen Sie die Seiden-Zuschnitte zu einem langen Band zusammen (Nahtzugabe auseinanderbügeln) und bügeln Sie Vlieseline zur Verstärkung auf die linke Seite. Bügeln Sie die Nahtzugabe (1 cm) an beiden langen Seiten nach innen (Bild 1) und bügeln Sie anschließend die Nahtzugaben aufeinander, so dass Sie ein langes gefaltetes Band erhalten (Bild 2).
Nähen Sie nun die erste Briefecke in das Band, indem Sie das gefaltete Band wieder auseinander falten und ein Ende ca. 50 cm rechts auf rechts einschlagen (Bild 3). Bügeln Sie danach beide Ecken der gefalteten Kante zur Mitte hin (Bild 4) und falten Sie sie danach wieder auseinander.

Nähen Sie die Stofflagen auf den entstandenen Bügelfalten zusammen, sparen Sie dabei die Nahtzugabe aus (Bild 5). Schneiden Sie die überschüssige Nahtzugabe aus den Ecken zurück. Wenden Sie das Band auf rechts.
Legen Sie eine Ecke der Decke zwischen die Briefecke, stecken Sie alle Lagen mit Stecknadeln fest und nähen Sie das Band an die erste Ecke (Bild 6). Enden Sie in der Mitte der nächsten Seite, messen Sie den Abstand bis zur nächsten Ecke und fertigen Sie, wie oben beschrieben, eine weitere Briefecke. Vervollständigen Sie so die gesamte Decke.

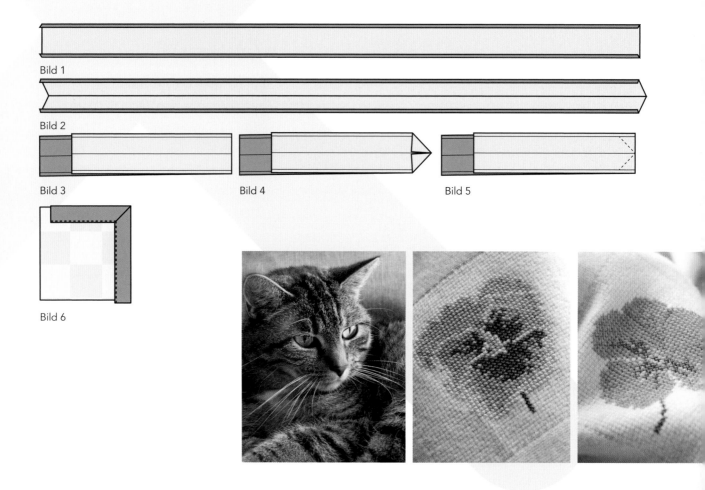

Bild 1

Bild 2

Bild 3   Bild 4   Bild 5

Bild 6

Decke „Blumenwiese"

Größe 165 x 165 cm / Stickereigröße max. 20,5 x 20,5 cm /
Stickmuster Seite 54 und 55

Material: Leinentischdecke 165 x 165 cm 12-fädig,
Art.-Nr. 319-1626W-DE

Anleitung: Sticken Sie den Blütenkreis im Kreuzstich in die
Mitte der Decke. Die Blüten sticken Sie knapp neben dem
Saum in einem Abstand von ca. 2,5 cm zueinander auf; beginnen Sie 15 cm von einer Ecke entfernt. Die Blüten werden
insgesamt 10-mal gestickt.

Herz „Blütenmix"

Größe 20 x 19 cm / Stickereigröße 20 x 19 cm / Stickmuster Seite 58 und 59 / Schablone Nr. 1 Seite 51

Material: 0,25 m gebleichtes Leinen 12-fädig,140 cm breit, Art.-Nr. 319-113W / 0,25 m Vlieseline, Art.-Nr. 3255-106 / 1 Beutel Füllwatte, Art.-Nr. 6269-150 / schmales Satinband

Zuschnitt: Leinen: 2 Stück 25 x 25 cm

Anleitung: Sticken Sie das Stickmuster mittig im Kreuzstich auf das Leinen und bügeln Sie anschließend die Vlieseline hinter beide Leinenstücke. Legen Sie die Leinenstücke rechts auf rechts und übertragen Sie die Herz-Schablone. Nähen Sie auf der Umrisslinie die Stofflagen mit einem dichten Stich zusammen, lassen Sie an der Seite eine Wendeöffnung frei. Schneiden Sie die Nahtzugabe auf 5 mm zurück und schneiden Sie in den Rundungen kleine Kerben in die Nahtzugabe. Wenden Sie das Herz und füllen Sie es gut mit Füllwatte. Schließen Sie die Wendeöffnung von Hand. Fädeln Sie das Satinband an das Herz.

Zwei Kissen

Kissen „Mustertuch": Größe 45 x 45 cm / Stickereigröße 25,5 x 24,5 cm / Stickmuster Seite 60 bis 63

Material: 0,50 m Leinen grau 14-fädig, 185 cm breit, Art.-Nr. 319-160GR / Reißverschluss 35 cm / Kisseninlett 45 x 45 cm

Zuschnitt (inkl. 1 cm Nahtzugabe): Leinen: 47 x 47 cm (Vorderteil) und 2 Stück 47 x 24,5 cm (Rückenteile)

Anleitung: Sticken Sie das Stickmuster mittig im Kreuzstich auf das Vorderteil. Nähen Sie den Reißverschluss (siehe Seite 49) zwischen die Rückenteil-Zuschnitte. Legen Sie Vorder- und Rückenteil rechts auf rechts und nähen Sie die Stofflagen rundherum zusammen. Wenden Sie die Kissenhülle und beziehen Sie das Inlett damit.

Kissen mit Bommeln: Größe 40 x 40 cm

Material: 0,45 m Wolljacquard Loden grau-natur, 140 cm breit, Art.-Nr. 3594-1012 / 0,20 m Taft grau, 140 cm breit, Art.-Nr. 3501-004 / 0,20 m Stoff gecrasht grau, 145 cm breit, Art.-Nr. 3259-64260-182 / 32 Filzkugeln, Art.-Nr. 6158-206 / Reißverschluss 30 cm / Kisseninlett 40 x 40 cm

Zuschnitt (inkl. 1 cm Nahtzugabe): Wolljacquard: 42 x 42 cm (Vorderteil) und 2 Stück 42 x 22 cm (Rückenteile) / Taft: 16 Stück 10 x 10 cm / Stoff gecrasht: 16 Stück 10 x 10 cm

Anleitung: Erstellen Sie mit den Filzkugeln und den 10 x 10 cm Zuschnitten Bommel. Schnüren Sie dazu die Filzkugel fest in den einzelnen Stoff-Zuschnitten ein. Wickeln Sie ausreichend Nähgarn um das Stoffende und schneiden Sie ca. 1 cm neben der Schnürung den überstehenden Stoff zurück. Nähen Sie den Reißverschluss (siehe Seite 49) in die Rückenteil-Zuschnitte. Legen Sie das Vorderteil vor sich hin (linke Seite oben) und setzen Sie alle 5 cm am Rand eine Markierung für die Bommel. Legen Sie nun Vorder- und Rückenteil rechts auf rechts und beginnen Sie die Stofflagen zusammen zunähen, nähen Sie bei jeder Markierung einen Bommel zwischen den Stofflagen fest, auch in den Ecken. Die Farben wechseln sich immer ab. Wenden Sie die Kissenhülle und beziehen Sie das Inlett damit.

Kleine Quadrate

Größe 8 x 8 cm / Stickereigröße 3 x 3 cm im Petit Point Stickmuster Seite 70

Material: Leinen gebleicht 12-fädig, 140 cm breit, Art.-Nr. 319-113W / Wollfilz grau, 90 cm breit, Art.-Nr. 3259-077307-1183 / Vlieseinlage, Art.-Nr. 3255-114

Anleitung: Sticken Sie das Stickmuster im Petit Point auf ein Leinenstück und bügeln Sie die Vlieseinlage hinter die Stickerei. Aus dem Wollfilz schneiden Sie 8 x 8 cm große Quadrate. In die Mitte eines Quadrates schneiden Sie laut Foto ein gedrehtes Quadrat in der Größe 3,5 x 3,5 cm aus.

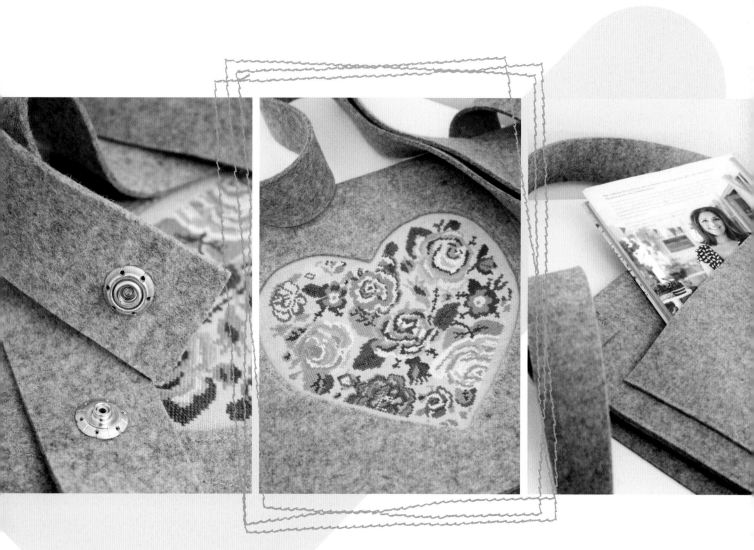

Tasche „Rosenherz"

Größe 35 x 30 cm / Stickereigröße 18 x 16,5 cm / Stickmuster Seite 56 und 57 / Schablone Nr. 2 Seite 51

Material: 0,25 m Leinen grau 14-fädig, 185 cm breit, Art.-Nr. 319-160GR / 0,70 m Wollfilz grau, 90 cm breit, Art.-Nr. 3259-077307-1183 / 0,25 m Vliesofix, Art.-Nr. 3255-104 / 2 Schmuckdruckknöpfe, Art.-Nr. 6158-11943-3402 / Textilkleber, Art.-Nr. 6257-715450

Zuschnitt (Es muss keine Nahtzugabe hinzugegeben werden):
Leinen: 22,5 x 21 cm / Wollfilz: 90 x 35 cm (Tasche), 30 x 20 cm (aufgenähte Tasche), 2 Stück 5 x 80 cm (Träger) und 25 x 23 cm (Abdeckung der Stickerei)

Anleitung: Sticken Sie das Stickmuster mittig im Kreuzstich auf das Leinen und bügeln Sie das Vliesofix hinter die Stickerei. Achten Sie darauf, dass das Leinen fadengerade ist. Weiter auf Seite 22.

Bügeln Sie die Stickerei mittig auf den Zuschnitt „Abdeckung der Stickerei" (Bild 1). Nehmen Sie den Taschen-Zuschnitt und setzen Sie an der langen Seite alle 30 cm eine Markierung (Bild 2). So erkennen Sie besser, was Klappe, Taschenvorder- und Taschenrückseite ist.

Übertragen Sie auf die Taschenklappe mittig die Herz-Schablone und schneiden Sie das Herz aus (Bild 2). Platzieren Sie die Stickerei mittig hinter dem Herzausschnitt und fixieren Sie sie mit etwas Textilkleber. Nähen Sie die Abdeckung rundherum fest und steppen Sie den Herzausschnitt knappkantig ab (Bild 3). Auf die Taschenrückseite nähen Sie, mittig und 3 cm von der unteren Markierung entfernt, den Zuschnitt „aufgenähte Tasche" (Bild 3).

Nähen Sie die Träger 3,5 cm oberhalb der aufgenähten Tasche ca. 1,5 cm vom Rand entfernt auf die Taschenrückseite. Nähen Sie die Träger nicht über der Markierung fest (Bild 3). Klappen Sie die Taschenvorderseite auf die Taschenrückseite und nähen Sie die Stofflagen an den Seiten knapp zusammen (Bild 4).

Nähen Sie nun die Schmuckdruckknöpfe von Hand an die Träger. Bringen Sie die Knöpfe so an, dass Sie die Tasche mit kurzem oder mit langem Träger verwenden können (Bild 5). Kürzen Sie falls nötig die Träger vorher.

Bild 1

Bild 2

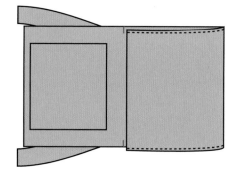

Bild 3

Bild 4

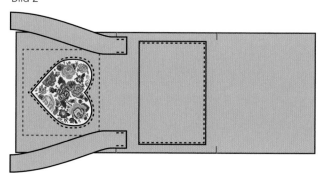

Bild 5

22

Kissen „Blumengarten"

Größe 45 x 45 cm / Stickereigröße 26 x 27,5 cm / Stickmuster Seite 64 und 65

Material: 0,35 m graues Leinen 8-fädig, 185 cm breit, Art.-Nr. 319-109GR / 0,50 m Wolljacquard Loden pink-rot, 140 cm breit, Art.-Nr. 3594-1002 / 0,50 m Vlieseline, Art.-Nr. 3255-106 / Kisseninlett 45 x 45 cm / Reißverschluss 35 cm lang

Zuschnitt (inkl. 1 cm Nahtzugabe): Leinen: Größe der Stickerei plus 1 cm Nahtzugabe (A) Wolljacquard: 2 Stück 11,5 x 47 cm (B), 2 Stück 47 x 10,75 cm (C) und 2 Stück 47 x 24,5 cm (Rückenteil)

Anleitung (siehe hierzu Skizze auf Seite 50): Sticken Sie das Stickmuster im Kreuzstich mit doppeltem Faden

mittig auf das Leinen. Schneiden Sie das Leinen anschließend zu und bügeln Sie die Vlieseline hinter die Stickerei.

Achten Sie darauf, dass das Leinen fadengerade ist. Bügeln Sie die Vlieseline auch hinter die Zuschnitte (B) und (C). Nähen Sie um die Stickerei den Wollstoff wie in der Grundanleitung „Diagonalecke für Kissen" beschrieben (Seite 50). Nähen Sie in die Rückenteil- Zuschnitte einen Reißverschluss (Seite 49).

Legen Sie Vorder- und Rückenteil rechts auf rechts und nähen Sie die Stofflagen rundherum zusammen. Schneiden Sie die Nahtzugabe in den Ecken etwas zurück. Wenden Sie die Kissenhülle und ziehen Sie sie über das Inlett.

Tasche „Rot"

Größe 16 x 19 cm / Stickereigröße 54 x 1,8 cm / Stickmuster Seite 71

Material: 0,20 m Wolljacquard Loden pink-rot, 140 cm breit, Art.-Nr. 3594-1002 / 0,20 m Baumwollstoff Uni dunkelrot, 110 cm breit, Art.-Nr. 3479-1009 / 0,60 m Leinenband gebleicht 2 cm breit, Art.-Nr. 305-900-20 / 0,10 m Borte „Demoiselle" pink-orange, Art.-Nr. 6425-7190-008-125 / 0,60 m Ripsband mit Hohlsaum weinrot, Art.-Nr. 6425-1085-025-476 / 1 Rosenknopf lila, Art.-Nr. 6158-10425-3614

Zuschnitt (inkl. 1 cm Nahtzugabe): Leinenband: 56 cm lang / Wollstoff: 18 x 40 cm (Außenteil) / Baumwollstoff: 18 x 40 cm (Futter)

Anleitung: Sticken Sie das Stickmuster sich wiederholend im Kreuzstich, mittig auf eine Länge von 54 cm auf das Leinenband (Bild 1). Nähen Sie das Leinenband auf das Ripsband (Bild 2). Nähen Sie das Außenteil und das Futter an den kurzen Seiten aneinander, dabei nähen Sie an einer Seite die Borte „Demoiselle" als Schlaufe mit fest (Bild 3).

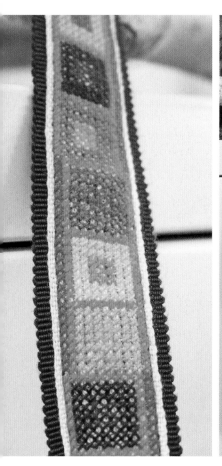

Legen Sie nun die Nähte rechts auf rechts aufeinander, so dass das Außenteil aufeinander liegt und ebenso das Futter (Bild 4).

Das Band für den Träger legen Sie an beiden Seiten 6 cm von der Naht entfernt zwischen die Außenteile (Bild 4).

Nähen Sie die Stofflagen an den Seiten zusammen, lassen Sie im Futter eine Wendeöffnung frei (Bild 4). Wenden Sie die Tasche und schließen Sie die Wendeöffnung von Hand. Nähen Sie den Rosenknopf der Schlaufe und der Taschenklappe angepasst auf die Tasche (Bild 5).

Idee: Verwenden Sie Stickmotive einfach mal als Schmuckelement an Ihrer Kleidung!

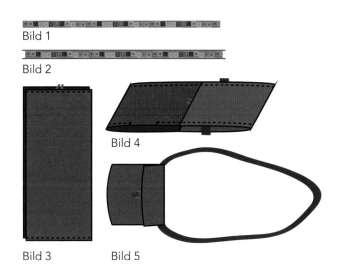

Bild 1

Bild 2

Bild 3

Bild 4

Bild 5

Stich für Stich

Diese kleinen Blumenwiesen sticke ich am allerliebsten. Bei der Stickerei ist es überhaupt nicht wichtig, dass man die richtige Stelle im Leinen trifft. Mit den grünen Stichen fängt man an. Entweder mit 1 Faden Vaupelgarn – dann muss man ein paar mehr Stiche machen – oder man nimmt gleich 2 Fäden in die Nadel, die sich auch gerne im Ton ein wenig unterscheiden können. Das bringt mehr Leben auf die Fläche.

Unten beginnen die Stiche alle auf einer Höhe – da sollen sie ja später mit dem Rand der Passepartout-Karte abschlie-ßen. Oben enden sie auf jeden Fall auf verschiedenen Höhen und verlaufen auch schon mal schräg nach links und rechts. Zwischendurch kontrollieren, ob die grüne Wiese schon so breit ist, dass sie das Passepartout-Fenster füllt.

Falls zwischendurch doch noch Leinen durchblitzt, einfach noch ein paar Stiche ergänzen. Machen Sie sich keine Sorge um die Rückseite – die Passepartout-Karte hat eine dritte Seite, mit der Sie die Stickerei von hinten elegant verschwinden lassen können.

Wenn Sie mit dem grünen Teil der Wiese zufrieden und fertig sind, dann kommen Knötchen als Blüten dazu. Entweder nur oben auf den grünen Stängeln, oder aber auch über die grüne Fläche verteilt. Man kann Ton in Ton arbeiten oder eine fröhlich bunte Wiese sticken. Mit ein bisschen Übung ist so schnell eine liebevolle Karte gestaltet.

Über dem Sofa sehen Sie die Motive aus diesem Buch in ihrer Ursprungsversion in Petit Point. Gleich daneben meine schönen Broschen, in die auch die kleinen Blumenwiesen wunderbar passen.

Kleiner Augenschmaus

Basis dieser kleinen Kunstwerke ist ein gesticktes Quadrat. Die Anzahl der Kreuze ist abhängig von der Größe des Ausschnittes. Ein Beispiel: Auf den folgenden Seiten sind wunderschöne Broschen zu sehen, die eine Ausschnittgröße von 2,8 cm haben. Wenn Sie sich für eine solche Brosche ein kleines Kunstwerk auf 12-fädigem Leinen sticken wollen, dann muss die Quadratgröße 18 x 18 Kreuze betragen. Bei einer Ausschnittgröße von 3,5 cm ist die Quadratgröße 21 x 21 Kreuze.

Sie beginnen indem Sie im Kreuzstich ein Quadrat (nur den Rand) sticken. Die innere freie Fläche füllen Sie jetzt mit vielen Knötchenstichen und/oder Perlen. Bei der Farbkombination sind Ihnen keine Grenzen gesetzt, kombinieren Sie Töne einer Farbgruppe, kombinieren Sie unterschiedliche Farben gleicher Helligkeit oder wählen Sie gezielt kontrastreiche Farben zusammen aus. Lassen Sie Ihren Ideen freien Lauf und werden Sie zur Künstlerin.

Die gestickten Quadrate eigenen sich ebenfalls hervorragend für die Ausschnitte von Passepartoutkarten, die ihnen einen besonderen Rahmen geben.

Der richtige Rahmen

Ein besonders schmückendes Beiwerk sind diese hochwertigen Broschen. Sie werden exklusiv von einer Goldschmiedin angefertigt und sind das perfekte Schmuckstück für Fadenverliebte. Wie in einen Wechselrahmen lassen sich verschiedene Stickereien oder Stoffe passend zur Garderobe einlegen. Das Material ist aus Alpacca-Silber. Jede Brosche ist mit rückseitigen Ösen versehen, durch die eine Stahlseilkette gezogen werden kann. So wird die Brosche im Handumdrehen zur Kette.

Foto rechte Seite, unten:
1. Art.-Nr. 642-111, 53 x 53 cm, Ausschnitt 28 x 28 cm
2. Art.-Nr. 642-100, 60 x 60 cm, Ausschnitt 20 x 20 cm
3. Art.-Nr. 642-106, 53 x53 cm, Ausschnitt 28 x 28 cm
4. Art.-Nr. 642-112, 43 x 43 cm, Ausschnitt 20 x 20 cm
5. Art.-Nr. 642-113, 43 x 43 cm, Ausschnitt 20 x 20 cm

1

2

3

4

5

Lieblingskissen

Größe 50 x 50 cm / Stickereigröße 25,5 x 27 cm / Stickanleitung Seite 74

Material: 0,35 m graues Leinen 8-fädig, 185 cm breit, Art.-Nr. 319-109GR / 0,55 m Wolljacquard Loden türkis-hellblau, 140 cm breit, Art.-Nr. 3594-1006 / 0,55 m Vlieseline, Art.-Nr. 3255-106 / Kisseninlett 50 x 50 cm / Reißverschluss 40 cm lang

Zuschnitt (inkl. 1 cm Nahtzugabe): Leinen: Größe der Stickerei plus 1 cm Nahtzugabe (A) / Wolljacquard: 2 Stück 14,25 x 52 cm (B), 2 Stück 52 x 13,5 cm (C) und 2 Stück 52 x 27 cm (Rückenteil)

Anleitung: Sticken Sie die Quadrate, wie auf Seite 74 beschrieben, im Kreuzstich auf das Leinen. Schneiden Sie das Leinen anschließend zu und bügeln Sie die Vlieseline hinter die Stickerei. Achten Sie darauf, dass das Leinen fadengerade ist. In den weiteren Schritten verfahren Sie wie in der Anleitung für das Blütenkissen auf Seite 51.

Kissen „Blau"

Größe 30 x 30 cm hellblau / Größe 40 x 40 cm blaugrau

Material: 0,35 m Leinen hellblau, Art.-Nr. 3622-RS0041-104 / 0,45 m Leinen blaugrau, Art.-Nr. 3622-RS0041-105 / Reißverschluss 25 cm / Reißverschluss 30 cm / Kisseninletts 30 x 30 cm und 40 x 40 cm

Zuschnitt (inkl. 1 cm Nahtzugabe): Leinen hellblau: 32 x 32 cm (Vorderteil), 2 Stück 32 x 17 cm (Rückenteil) / Leinen blaugrau: 42 x 42 cm (Vorderteil), 2 Stück 42 x 22 cm (Rückenteil)

Anleitung: Nähen Sie zwischen die Rückenteil-Zuschnitte den passenden Reißverschluss (siehe Seite 49). Legen Sie das Vorderteil rechts auf rechts auf das Rückenteil und nähen Sie die Stofflagen rundherum zusammen. Schneiden Sie die Nahtzugabe in den Ecken etwas zurück und wenden Sie das Kissen. Ziehen Sie die Kissenhülle über das Inlett.

Läufer „Bunte Quadrate"

Größe 160 x 12 cm / Stickereigröße 106 x 5,5 cm / Stickanleitung Seite 72 und 73

Material: 1,70 m Leinenband ungebleicht 12 cm breit, Art.-Nr. 305-900-120

Anleitung: Sticken Sie die Quadrate laut Anleitung auf Seite 72 und 73 mittig im Kreuzstich auf das Leinenband und säumen Sie die Schnittkanten 2,5 cm breit.

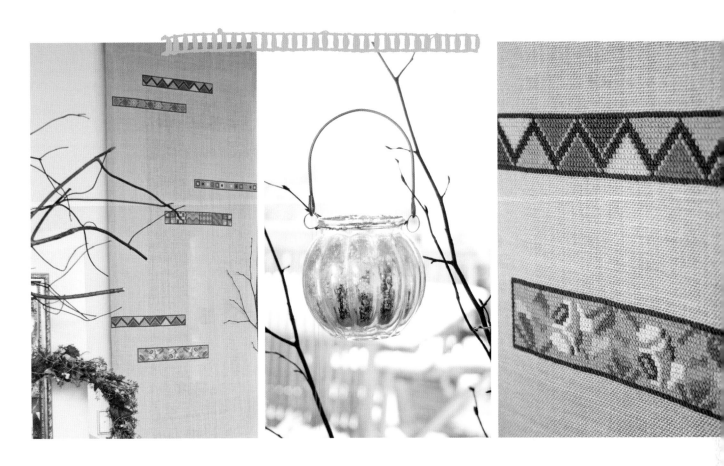

Gardine „Streifendesign"

Größe 60 x 220 cm / Stickereigröße max. 27,5 x 4,5 cm / Stickmuster Seite 68 und 69

Material: 2,70 m Leinen grau 8-fädig, 185 cm breit, Art.-Nr. 319-109GR

Zuschnitt (inkl. Saumzugaben): Leinen: 70 x 270 cm

Anleitung: Sticken Sie die Stickmuster laut Fotos mit einem Kreuzstich und doppeltem Faden auf das Leinen. Achten Sie darauf, dass Sie einen 5 cm Abstand zu den Kanten links und rechts einhalten. Säumen Sie die Seiten 2,5 cm breit.

Die untere Kante säumen Sie 10 cm breit und die obere Kante säumen Sie 15 cm breit. Für eine kleine Schaube nähen Sie den oberen Saum 4 cm breit ab.
Falls Sie eine längere Gardine benötigen, geben Sie die entsprechenden Zentimeter dazu.

Bild „Punktestern"

Größe 32 x 32 cm / Stickereigröße 17,5 x 17,5 cm / Stickmuster Seite 66 und 67

Material: 0,25 m Leinen grau 14-fädig, 185 cm breit, Art.-Nr. 319-160GR / Rahmen silbern 32 x 32 cm, Ausschnitt 17,5 x 17,5 cm, Art.-Nr. 9112-4024-01

Anleitung: Sticken Sie das Stickmuster mittig im Kreuzstich auf das Leinen. Rahmen Sie die Stickerei. Achten Sie darauf, dass das Leinen fadengerade ist. Mit einem dünnen Vlies hinterlegt, tritt die Stickerei optisch hervor.

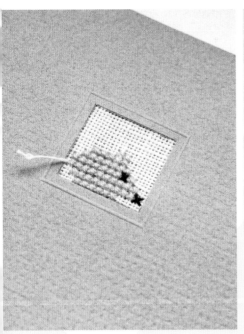

Liebe Grüße

Für gute Freunde reicht es oft nicht eine Karte im Zeitschriften- oder Buchhandel zu kaufen. Es muss etwas Besonderes sein. Wertvoll! Es darf sofort deutlich werden, dass es sich um einen besonderen Menschen handelt, den wir nicht nur mit Worten wertschätzen möchten. Hier tun wir dies mit einer gestickten Karte!

Die Stickmuster für die Karten finden Sie auf Seite 74. Für den Hasen schneiden Sie noch aus farbigem Papier eine Karotte aus und kleben sie mit ein paar Fäden Garn als Karottengün einfach auf die Karte. Fertig!

Bänderkarten „Rot"

Benähen Sie doch einmal Karten mit schönen Schmuckwebbändern. Besonders geeignet für diese Art der Veredelung sind unsere Prägekarten. Sie sind aus stabilem Karton und bleiben so nach dem Benähen bestens in Form.

Schneiden Sie sich die Bänder im passenden Maß zu und bügeln Sie sie glatt. Kleben Sie die Schnittkanten nach hinten um. Fixieren Sie das Band mit etwas Textilkleber auf der Karte und nähen Sie das Band rundherum fest. Als Stich empfehlen wir diverse Zierstiche, sie schaffen einen schönen Übergang vom Band zur Karte.

Bänderkarten „Creme"

Schnell gemacht und hübsch anzusehen sind diese Bänderkarten. Die feinen Schmuckwebbänder unserer Kollektionen werden auch heute noch nach alten Tradition auf mechanischen Jacquardwebstühlen gewebt, und genau wie früher werden Lochkarten für jedes neue Muster gefertigt.

Kleine Stickschule

Stickleinen

Das von uns verwendete Leinen ist ein in Kette und Schuss gleichmäßiges Gewebe, d. h., die gestickten Kreuze werden quadratisch. Das Leinen misst 12 Fäden pro Zentimeter. Leinen ist ein Naturmaterial, das beim ersten Waschen einläuft. Berücksichtigen Sie dies für die Weiterverarbeitung der Stickerei. Das in diesem Buch verarbeitete Leinen ist von der Weberei Weddigen.

Leinen bügeln

Nach dem Sticken legen Sie ein feuchtes Tuch auf die linke Seite der Stickerei und bügeln dieses trocken.

Stickgarn

Die Motive in diesem Buch sind alle mit deutschem Baumwollgarn der Firma Vaupel & Heilenbeck gestickt. Bei diesem Garn handelt es sich um ein einfädiges, reines, unmercerisiertes Baumwollgarn. Es ist matt, farb- und lichtecht und bis 60 °C waschbar.

Sticknadel

Die Sticknadel hat in der Regel keine Spitze, um die Gewebefäden nicht anzustechen. Wir empfehlen eine Nadel der Größe 24 oder 26.

Platzierung der Stickerei

Die Stickerei wird, sofern nicht anders angegeben, in die Mitte des Leinenstücks gestickt. Dafür ermitteln Sie die Mitte des Leinens und des Stickmusters.
Markieren Sie die Leinenmitte mit einem Reihfaden oder einer Stecknadel und zählen Sie von dort bis zum Rand des Stickmusters, wo Sie beginnen möchten. Zwei Fäden ergeben ein Kreuz bzw. ein Kästchen im Stickmuster.

Petit Point oder Kreuzstich

Die abgebildeten Stickmuster können im Kreuzstich sowie im Petit Point gestickt werden. Beim Petit Point und auch beim Kreuzstich wird ein Kästchen als ein Stich angesehen. Ein Motiv, welches im Petit Point gestickt ist, ergibt sich um ein Viertel kleiner auf dem Leinen als ein Motiv im Kreuzstich.

Kreuzstich (1)

Dieser Stich wird über zwei Gewebefäden gearbeitet. Er wird in hin- und hergehenden Reihen gestickt. In der Hinreihe werden die Grundstiche von links unten nach rechts oben über zwei Gewebefäden ausgeführt. In der Rückreihe werden die Deckstiche gesetzt. Sie werden von rechts unten nach links oben ausgeführt. Wird das Muster durch eine andere Farbe unterbrochen, wird der Zwischenraum durch einen längeren Schrägstich übergangen. Dieser sollte nicht länger als drei Kreuze sein.

Halber Kreuzstich (2)

Beim halben Kreuzstich wird das Kreuz über zwei Gewebefäden nach links und einen Gewebefaden nach oben gestickt bzw. über einen Gewebefaden nach links und zwei Gewebefäden nach oben.

Steppstich (3)

Dieser Stich wird von rechts nach links gearbeitet. Dabei wird von unten durch das Leinen ausgestochen, die Nadel um die gewünschte Stichlänge nach rechts eingestochen und um die doppelte Stichlänge nach links zurückgestochen. Dann wird wieder in die letzte Ausstichstelle eingestochen und in doppelter Stichlänge die Nadel nach oben ausgestochen.

Knötchenstich (4)

Dieser Stich liegt plastisch auf dem Stoff oder auf dem schon bestickten Leinen. Dafür stechen Sie von unten durch das Leinen nach oben aus. Halten Sie den Faden mit dem linken Daumen und Zeigefinger fest und winden Sie ihn zwei- bis dreimal um die Nadel. Diese Schlingen ziehen Sie ganz dicht an das Leinen und führen die Nadelspitze in ein Nachbarloch der Ausstichstelle zurück. Greifen Sie nun mit dem linken Zeige- und Mittelfinger unter dem Leinen nach der Nadel und lassen Sie den Faden langsam durch die Finger gleiten. Der Faden zieht sich zu einem Knötchen zusammen.

Petit Point (5)

Der Stich wird auf der Vorderseite über einen Gewebefaden gestickt. Dabei wird von hinten der Faden von links unten ausgestochen und vorne nach rechts oben eingestochen. Von der Rückseite aus wird über zwei Gewebefäden wieder links unten eingestochen. Anders als beim Kreuzstich wird somit von rechts nach links gestickt. Da der Faden auf der Rückseite über zwei Gewebefäden geführt wird, ist die Stickarbeit auf der Rückseite dicker als auf der Vorderseite. Die Stickerei tritt optisch hervor. Dadurch ist der Petit Point plastisch. Der Petit Point kann auch in umgekehrter Richtung erfolgen, wobei die Nadel auf der Vorderseite über einen Faden unten links eingestochen und auf der Rückseite über zwei Fäden oben rechts wieder ausgestochen wird.

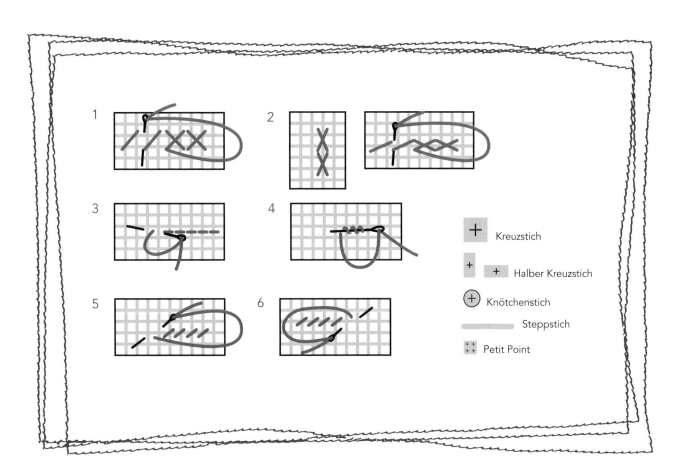

+	Kreuzstich
+ +	Halber Kreuzstich
⊕	Knötchenstich
▬▬	Steppstich
++ ++	Petit Point

Grundanleitung Reißverschluss

Zum Einnähen brauchen Sie ein Reißverschlussfüßchen. Für den Kissenrücken mit Reißverschluss werden zwei Stoffstücke zugeschnitten. Die beiden Stoffzuschnitte legen Sie mit den Kanten, in die der Reißverschluss eingearbeitet werden soll, rechts auf rechts aufeinander. Den geschlossenen Reißverschluss an die Schnittkante legen und oberen und unteren Endpunkt des Reißverschlusses auf dem Stoff markieren. Die Stofflagen ober- und unterhalb der Markierungen zusammennähen und anschließend die Nahtzugabe auseinanderbügeln. Den Reißverschluss hinter dem entstandenen Schlitz feststecken. Den Reißverschluss von rechts mit dem Reißverschlussfüßchen rundherum knapp neben den Reißverschlusszähnen festnähen. Vor dem Verbinden von Vorder- und Rückenteil den Reißverschluss leicht öffnen, um das Kissen später wenden zu können.

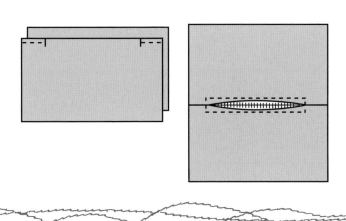

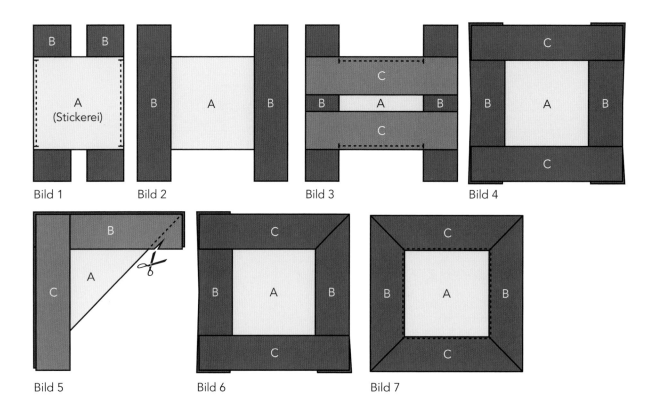

Bild 1   Bild 2   Bild 3   Bild 4

Bild 5   Bild 6   Bild 7

Grundanleitung Diagonalecke für Kissen

Das in der Mitte liegende Teil (A) ist die Stickerei, welche mit Vlieseline hinterbügelt wurde. Nähen Sie die Zuschnitte (B) links und rechts an das Leinen (A). Beginnen und enden Sie 1 cm vor der Kante (Bild 1).

Anschließend die Zuschnitte (B) nach außen bügeln (Bild 2).

Nähen Sie die Zuschnitte (C) oben und unten an das Leinen. Auch hier beginnen und enden Sie 1 cm vor der Kante (Bild 3).

Bügeln Sie die Zuschnitte (C) ebenfalls nach außen (Bild 4), die Ecken überlappen sich dabei. Legen Sie nun ein Ende von (B) rechts auf rechts auf das Ende von (C) und nähen Sie die Stoffe im einem spitzen Winkel von 45 Grad zusammen. Beginnen Sie mit der Naht am Eckpunkt und enden Sie an der Außenkante (Bild 5).

Schneiden Sie überschüssiges Material zurück (Bild 5) und bügeln Sie die Nahtzugabe auseinander (Bild 6).

Verfahren Sie so in allen vier Ecken. Steppen Sie den Wollstoff um die Stickerei knappkantig ab (Bild 7).

Nr. 1

Nr. 2

Veilchen

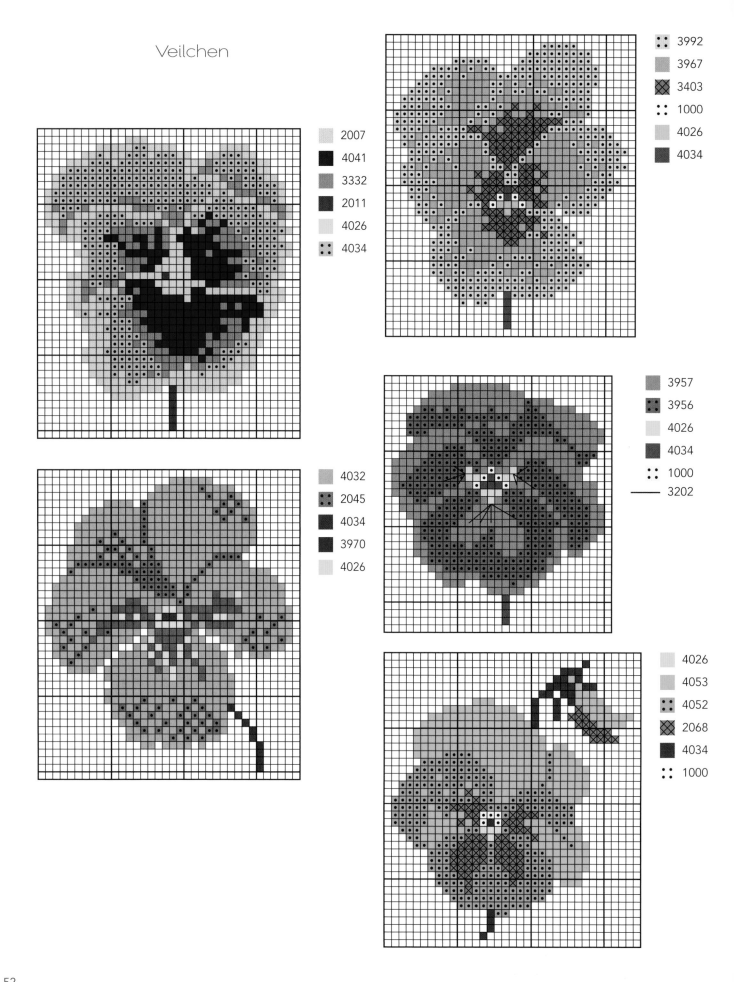

2007
4041
3332
2011
4026
4034

3992
3967
3403
1000
4026
4034

4032
2045
4034
3970
4026

3957
3956
4026
4034
1000
3202

4026
4053
4052
2068
4034
1000

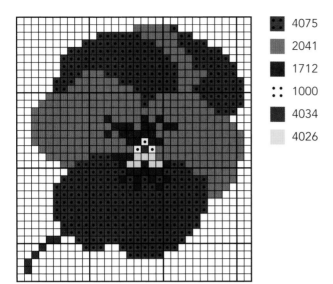

- ⬚ 4075
- ⬛ 2041
- ⬛ 1712
- ⋰ 1000
- ⬛ 4034
- ⬜ 4026

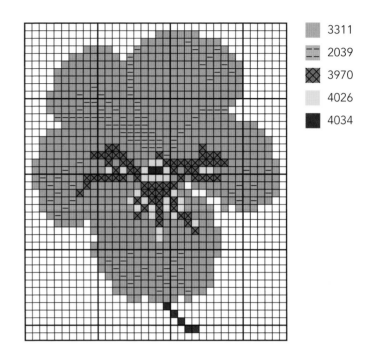

- ⬛ 3311
- ⬛ 2039
- ⬛ 3970
- ⬜ 4026
- ⬛ 4034

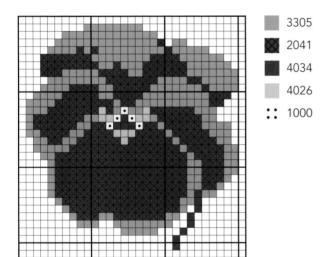

- ⬛ 3305
- ⬛ 2041
- ⬛ 4034
- ⬛ 4026
- ⋰ 1000

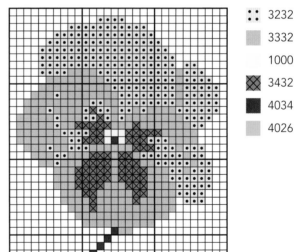

- ⋰ 3232
- ⬛ 3332
- ⬜ 1000
- ⬛ 3432
- ⬛ 4034
- ⬛ 4026

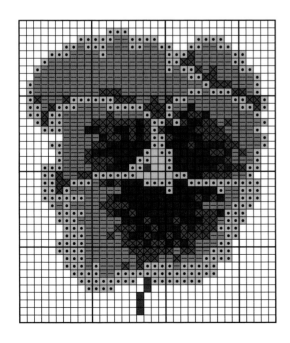

- ⋰ 3958
- ⬛ 3957
- ⬛ 3122
- ⬛ 4026
- ⬛ 4034
- ⬛ 3956

Decke „Blumenwiese"

	4064	2x	2068	2x	4041		4019		4071	3x	1009
2x	2039	2x	3954		3332		2099		3101	3x	3902

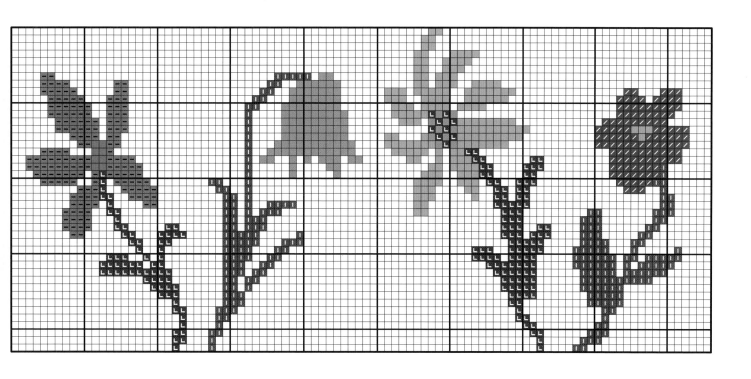

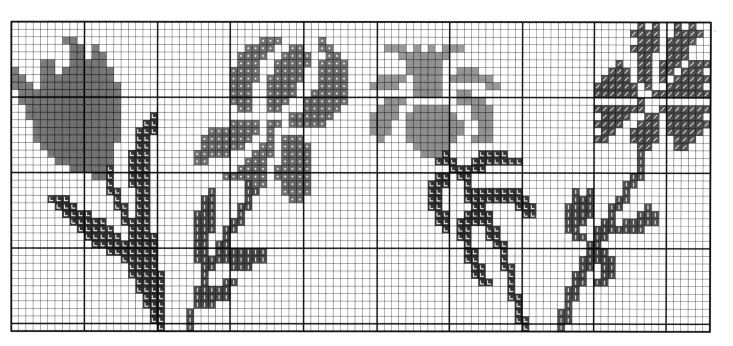

Tasche „Rosenherz"

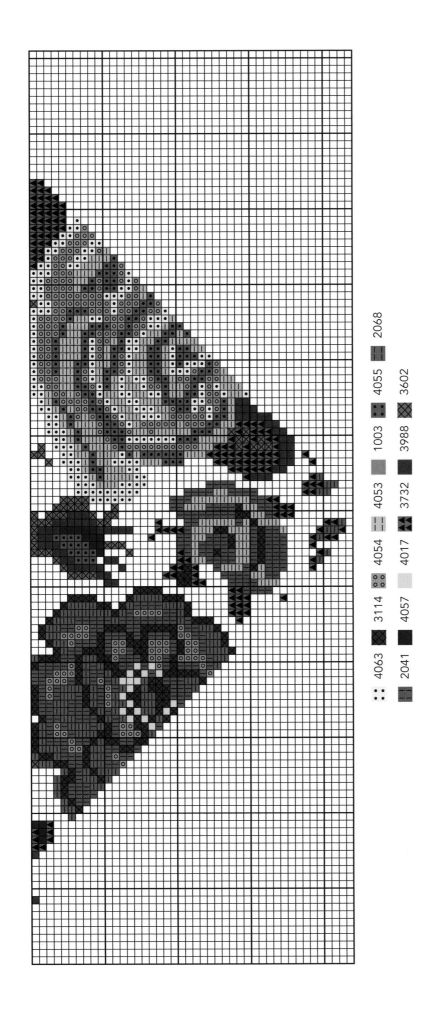

4063 ⊠ 3114 ⊠ 2041 ▨ 4057 ▨ 4054 ▤ 4053 ⸺ 1003 ▨ 4055 ▨ 2068 ▨

    4017 ▨ 3732 ▨ 3988 ▨ 3602 ⊠

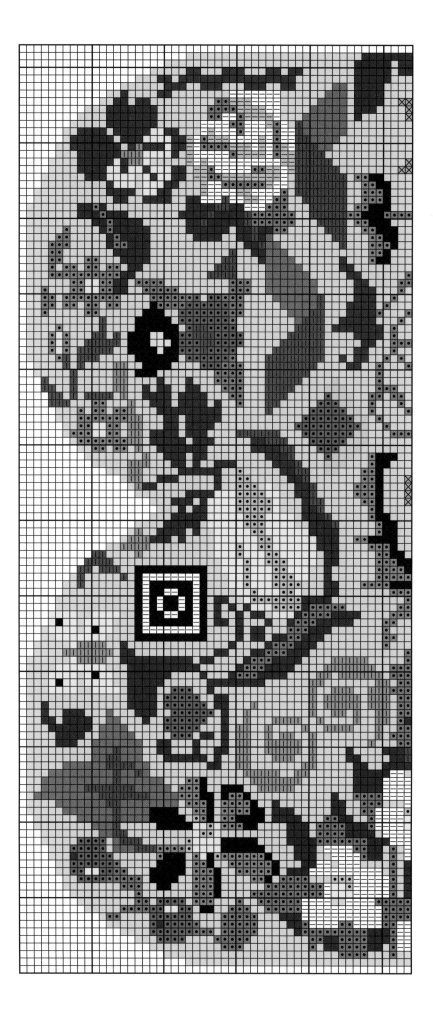

Herz „Blütenmix"

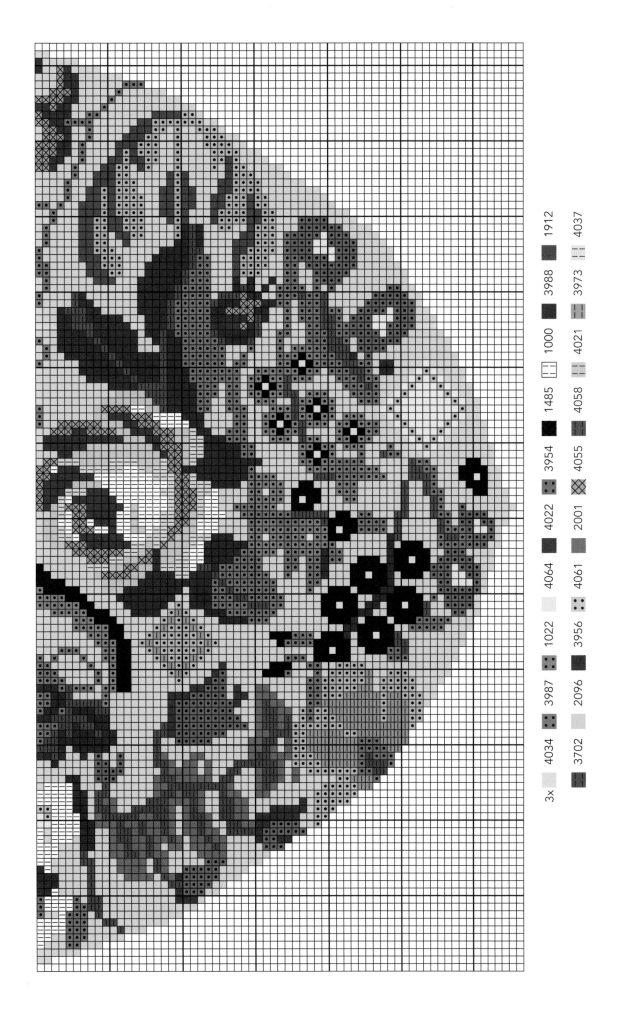

3x 4034   3987   1022   4064   4022   3954   1485   1000   3988   1912

3702   2096   3956   4061   2001   4055   4058   4021   3973   4037

Kissen „Mustertuch" Teil 1, links oben

7x ■ 2002

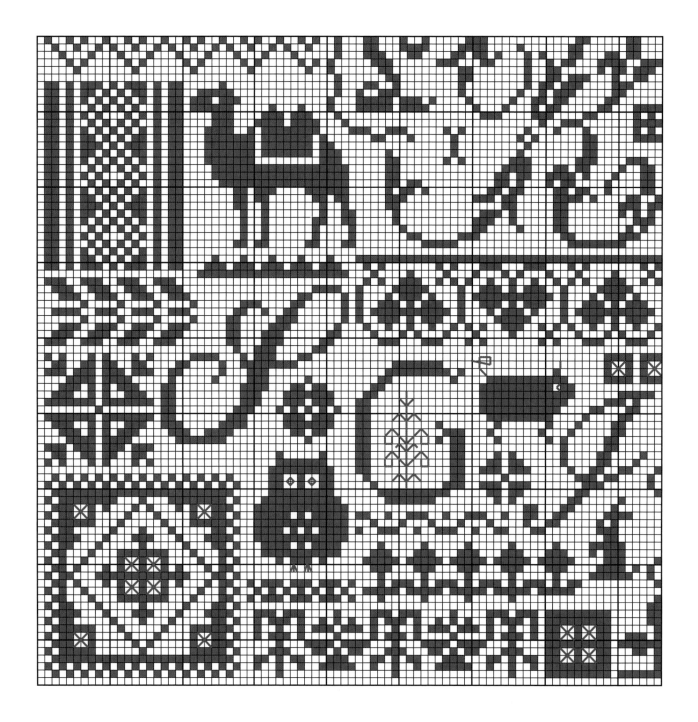

Kissen „Blumengarten"

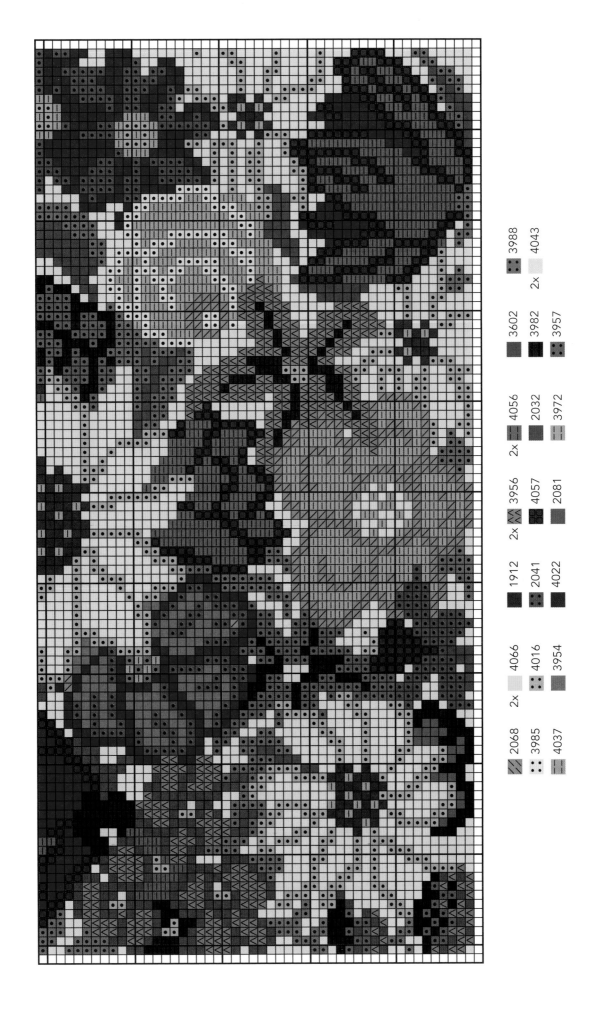

2068 2x 1912 2x 3956 2x 4056 3602 3988

3985 4066 2041 4057 2032 3982 2x 4043

4037 4016 4022 2081 3972 3957

3954

Bild „Punktestern"

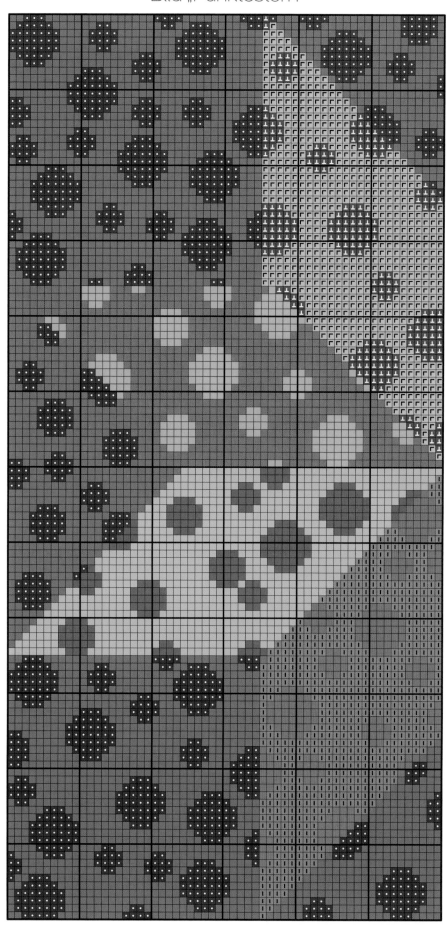

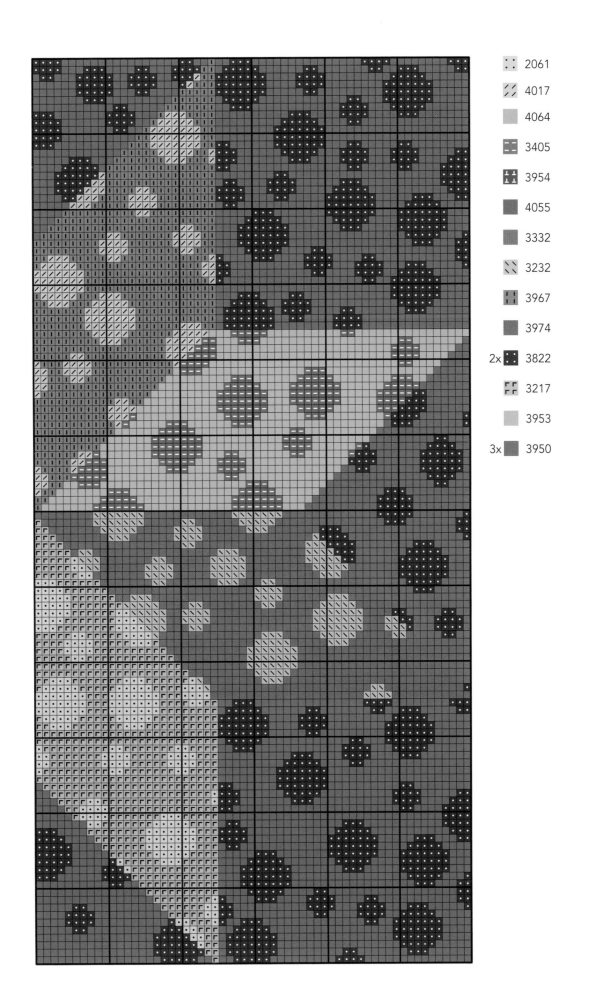

:: 2061
╱╱ 4017
▨ 4064
▭ 3405
╫ 3954
■ 4055
■ 3332
╲╲ 3232
‖ 3967
■ 3974
2x ▨ 3822
┏┛ 3217
▨ 3953
3x ■ 3950

Gardine „Streifendesign"

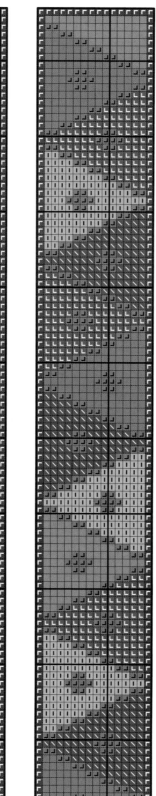

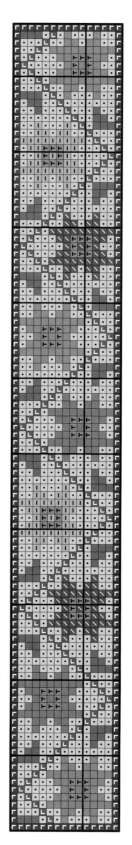

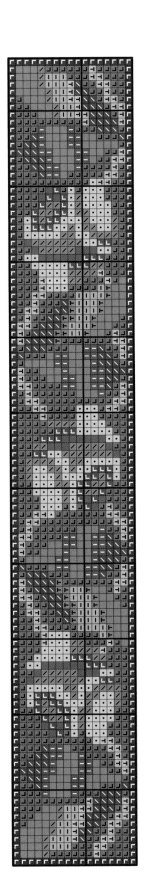

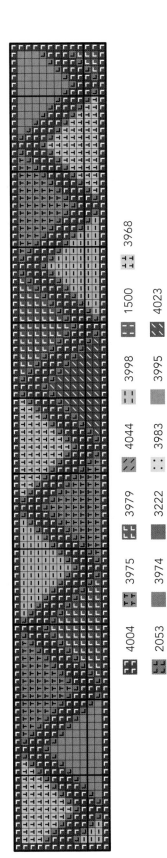

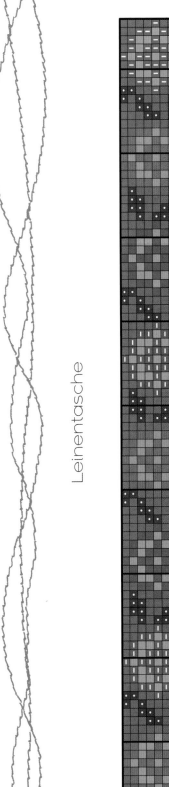

Leinentasche

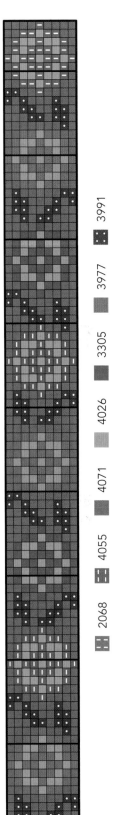

Kleine Quadrate

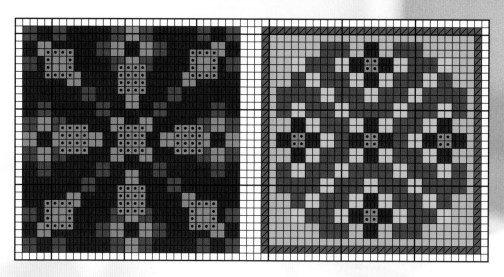

Zwei kleine Muster wie geschaffen für den Griff in die Restekiste. Die fertige Stickerei kann als Einleger in die Brosche dienen, Sie können eine Passepartoutkarte damit füllen oder als kleines Bild einrahmen. Wählen Sie die Farben nach Ihrem Geschmack – lassen Sie eventuell eine Farbe „ungestickt" und stattdessen das Leinen wirken.

Tasche „Rot"

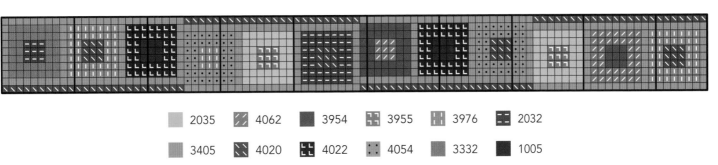

	2035		4062		3954		3955		3976		2032
	3405		4020		4022		4054		3332		1005

Dieses Muster ist aus 18 bunten Quadraten zusammengesetzt. Zu jedem Quadrat gehören 15 „Runden" um den einen Kreuzstich im Mittelpunkt. In der folgenden Tabelle sind für alle 18 Quadrate ausgehend vom Mittelpunkt die Farben der einzelnen „Runden" angegeben. Wenn eine Farbe doppelt oder gar dreifach hintereinander erwähnt wird, bedeutet das, dass 2 oder 3 Runden hintereinander in der gleichen Farbe gestickt werden

Quadrat	Mittelpunkt	Die Farben der Runden von innen nach außen													
1	4049	4001	3971	3989	3971	3305	4049	4049	4049	2061	4001	2061	4049	3971	3971	3971
2	2068	3212	3212	2068	4006	4006	3602	1003	1003	3212	3212	3212	2068	3602	3602	3212
3	1105	3114	3332	3332	2048	3232	3232	3114	3332	1105	1105	3114	3114	2048	2048	2048
4	3967	3967	3215	3922	2022	3972	3967	3972	3215	3972	3972	3922	3972	3972	3972	2022
5	2061	2061	2001	2001	4055	4055	3991	2061	2061	2001	4055	3991	3991	2061	2001	2001
6	2022	2099	3981	3958	3215	3215	2022	2045	2022	2099	2022	3981	2022	2022	3958	2022
7	2032	1003	1003	3986	1400	3986	3112	3986	2089	1002	1002	2032	1003	3986	3986	3986
8	2061	2061	2074	2074	4016	4016	2074	2061	2061	2061	3115	4016	2048	4016	1932	2074
9	2001	2001	2099	2099	3981	2068	3832	2045	3981	2068	3832	2045	2099	2099	2001	2001
10	2079	1005	1005	2079	2400	2048	3977	2048	2048	4040	2079	1005	2400	3977	2048	2079
11	3215	3115	3722	3722	3115	3922	3215	3922	3922	3115	3722	3722	3215	3705	3215	3215
12	2045	3212	3212	3212	4001	4001	3972	3602	3212	2045	3212	3212	2079	4001	3602	4001
13	4016	4016	1932	1932	2045	2045	2061	2061	1400	4016	3114	4016	4016	4006	4006	4006
14	4043	4062	3980	3993	4043	2001	1500	3980	4043	2001	4062	1500	3993	3993	2022	1500
15	4055	4055	4055	3332	1105	2032	3332	3332	4055	4055	1105	3332	2032	1105	1105	1105
16	3412	3994	3311	3311	3112	3305	3305	3832	3312	3312	3112	3412	3412	3832	3994	3994
17	3989	3989	3958	4049	4049	3532	3532	3532	4049	3989	3958	3989	3989	3986	3981	3532
18	3958	3958	2022	2022	3958	3980	3994	3958	2022	2074	3980	3958	3980	3980	2022	3980

Hier sehen Sie alle Farben im Überblick. Es sind 55 an der Zahl. Sie können diese Farben übernehemn, Sie können aber auch aus Ihren Restbeständen eigene Farbkombinationen zusammenstellen. Auf diese Art finden Ihre Restgarne ein schöne Verwendung.

2061	4016	3602	3991	2022	3967	3977	2400	4055	3986	3989
4049	1932	2001	3112	3215	3332	3532	2079	1003	3994	3412
3971	3972	2099	3981	3115	2032	2048	1105	1002	3311	3312
4066	4001	4043	3980	3958	1005	3114	2068	3232	4062	1500
2074	3212	3832	3722	3922	4040	2089	3305	3993	2045	1400

Läufer „Bunte Quadrate"

Hier sehen Sie beispielhaft das ertse Quadrat aus der Tabelle als Muster.

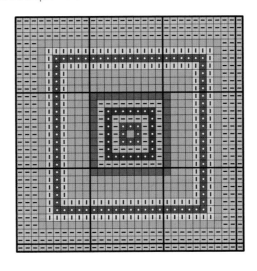

2061		3971		3305	
4049		4001		3989	

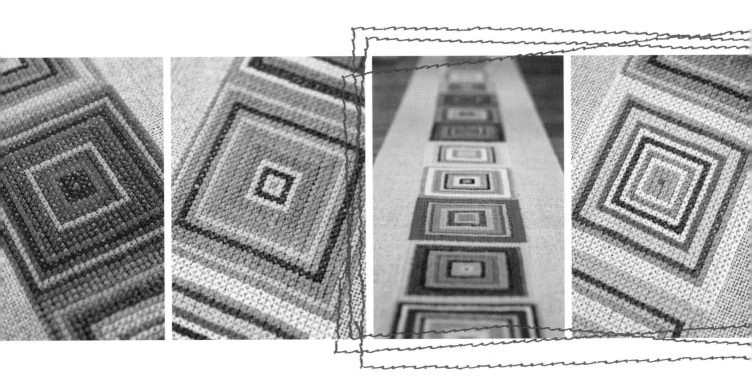

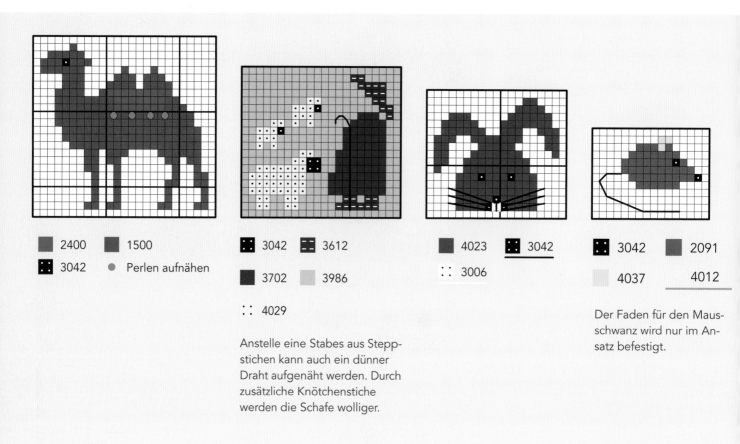

■ 2400   ■ 1500

▣ 3042   ● Perlen aufnähen

⬛ 3042   ▦ 3612

■ 3702   ▨ 3986

∷ 4029

Anstelle eine Stabes aus Stepp-
stichen kann auch ein dünner
Draht aufgenäht werden. Durch
zusätzliche Knötchenstiche
werden die Schafe wolliger.

■ 4023   ▣ 3042

∷ 3006

■ 3042   ■ 2091

▨ 4037   ___ 4012

Der Faden für den Maus-
schwanz wird nur im An-
satz befestigt.

Lieblingskissen

Das Muster besteht aus 10 x 10 Quadraten zu 9 x 9 Kreuzen. Der Mittelpunkt eines jeden Quadrates wird mit jeweils drei Fäden
von einer Farbe gestickt. Die Quadratfläche wird mit 2 Fäden unterschiedlicher Farben ausgestickt. Nach dem siebzehnten Quadrat
wiederholt sich die Farbgebung.

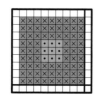

⧓ 2-fädiger Kreuzstich mit 2 Farben (siehe unten)

∷ 3-fädiger Kreuzstich in 3955

1: 4035/1009	6: 3602/3732	11: 4035/ 3732	16: 4033/ 4035
2: 3974/4071	7: 4033/ 3974	12: 1009/ 3959	17: 2001/ 2016
3: 3832/ 3991	8: 2016/ 3959	13: 3991/ 3602	18: Beginnen Sie
4: 4046/ 1009	9: 3602/ 2001	14: 2016/ 4035	wieder von vorne
5: 3216/ 3959	10: 3959/ 3974	15: 3974/ 2001	mit Nr. 1

Die Prägekarten haben eine fein geprägte Rillenoberfläche und lassen sich nach Herzenslust gestalten. Alle Karten haben einen passenden Umschlag. Quadrataussschnitt 10 x 10 cm, Herzausschnitt 9,7 x 9,7 cm. (Alle Karten sind ohne Dekoration)

- Passepartout-Karte Rot
  20 x 20 cm, mit Quadrataussschnitt,
  Art.-Nr. 6649-100
- Passepartout-Karte Weiß
  20 x 20 cm, mit Herzausschnitt,
  Art.-Nr. 6649-103
- Passepartout-Karte Weiß
  20 x 20 cm, mit Quadrataussschnitt,
  Art.-Nr. 6649-101
- Passepartout-Karte Rot
  20 x 20 cm, mit Herzausschnitt,
  Art. Nr. 6649-102
- Karte Rot, 10 x 10 cm,
  kein Ausschnitt, Art.-Nr. 6649-106
- Passepartout-Karte Rot
  21 x 10,5 cm, mit Herzausschnitt,
  Art.-Nr. 6649-104
- Karte Weiß, 10 x 10 cm,
  kein Ausschnitt, Art.-Nr. 6649-107
- Passepartout-Karte Weiß
  21 x 10,5 cm, mit Herzausschnitt,
  Art.-Nr. 6649-105

Hier finden Sie eine Auflistung der Schmuckwebbänder, die wir auf die Karten genäht haben:
- Schmuckwebband Beerenzeit blau-blau, 5 cm, Art.-Nr.35031-03
- Schmuckwebband Beerenherz blau-blau, 2 cm, Art.-Nr. 35032-03
- Schmuckwebband Beerenzeit rot-rot, 5 cm, Art.-Nr. 35031-05
- Schmuckwebband Beerenherz rot-rot, 2 cm, Art.-Nr. 35032-05
- Schmuckwebband Hagebuttenherz natur, 3 cm, Art.-Nr. 35092-02
- Schmuckwebband Hagebuttenherz grau, 3 cm, Art.-Nr. 35092-01
- Schmuckwebband Dompfaff grau, 2 cm, Art.-Nr. 35090-01
- Schmuckwebband Birke grau, 5 cm, Art.-Nr. 35091-01
- Schmuckwebband Frühlingsgedicht, 5 cm, Art.-Nr. 35085
- Schmuckwebband Hase im Frühling, 5 cm, Art.-Nr. 35086
- Schmuckwebband Rosenranke grau-brombeer, 2 cm, Art.-Nr. 35064-06
- Schmuckwebband Mein Engel grau-grau, 1 cm, Art.-Nr. 35049-10
- Schmuckwebband Noten antik-pink, 1 cm, Art.-Nr. 35053-04
- Schmuckwebband Rosenknospe grau-brombeer, 1 cm, Art.-Nr. 35070-07
- Schmuckwebband Rosenranke antik-pink, 2 cm, Art.-Nr. 35064-09
- Schmuckwebband Vögel und Herzen antik-rot, 3 cm, Art.-Nr. 35088-05
- Schmuckwebband Vögel und Herzen grau-petrol, 3 cm, Art.-Nr. 35088-02

Alle diese Petit Point-Packungen können Sie auch für eine Kreuzstich-Ausführung auf 12-fädigem Leinen bestellen.

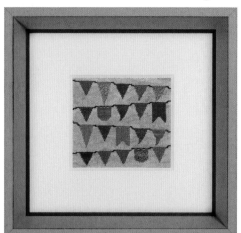

Schwacher Wind, 10-fädiges Leinen mit DMC-Sticktwist, Größe ca. 11 cm x 10 cm, Packung Art.-Nr. 642-395

Carina
10-fädiges Leinen mit DMC-Sticktwist, Größe ca. 9 cm x 9 cm
Packung Art.-Nr. 642-409

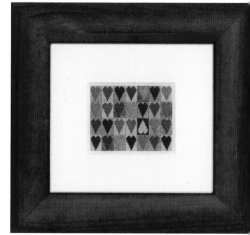

Falling in love
10-fädiges Leinen mit DMC-Sticktwist, Größe ca. 9 cm x 7 cm
Packung Art.-Nr. 642-412

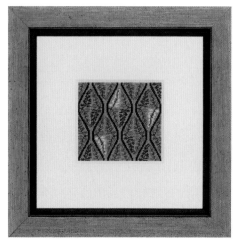

Tapisserie
10-fädiges Leinen mit DMC-Sticktwist, Größe ca. 10 cm x 9 cm
Packung Art.-Nr. 642-410

Naoko
10-fädiges Leinen mit DMC-Sticktwist, Größe ca. 9 cm x 8 cm
Packung Art.-Nr. 642-405

Rosen Tulpen Nelken
10-fädiges Leinen mit DMC-Sticktwist, Größe ca. 9,5 cm x 9,5 cm
Packung Art.-Nr. 642-392

Alles in weiß
10-fädiges Leinen mit DMC-Sticktwist, Größe ca. 17 cm x 17 cm
Packung Art.-Nr. 642-402

Die Zeit
10-fädiges Leinen mit DMC-Sticktwist, Größe ca. 9 cm x 9 cm
Packung Art.-Nr. 642-400

Alles in blau
10-fädiges Leinen mit DMC-Sticktwist, Größe ca. 17 cm x 17 cm
Packung Art.-Nr. 642-407

Mauerblümchen
0-fädiges Leinen mit DMC-Sticktwist, Größe
a. 7,7 cm x 6,7 cm
ls Packung Art.-Nr. 642-428

Ohne Tulpen, 12-fädiges Leinen mit DMC-
Sticktwist, Größe ca. 6,8 cm x 7,1 cm,
Als Packung Art.-Nr. 642-356
Als Muster Art.-Nr. 642-356M

Herzensangelegenheiten, 10-fädiges Leinen
mit DMC-Sticktwist, Größe ca. 9 cm x 9 cm
Als Packung Art.-Nr. 642-357
Als Muster Art.-Nr.642-357M

Angebandelt, 12-fädiges Leinen mit DMC-
Sticktwist, Größe ca. 8,5 cm x 8,5 cm
Als Packung Art.-Nr. 642-373
Als Muster Art.-Nr. 642-373M

Mit Sonnenblumen, 12-fädiges Leinen mit
DMC-Sticktwist, Größe ca. 6,8 cm x 7,1 cm
Packung Art.-Nr. 642-369
Muster Art.-Nr. 642-369M

Jila, 10-fädiges Leinen mit DMC-Sticktwist,
Größe ca. 9,5 cm x 9,2 cm
Als Packung Art.-Nr. 642-367
Als Muster Art.-Nr. 642-367M

ndiana & Ohio, 10-fädiges Leinen mit DMC-
Sticktwist, Größe ca. 10 cm x 10 cm
Als Packung Art.-Nr. 642-362
Als Nur Muster Art.-Nr. 642-362M

Zimt & Koriander, 10-fädiges Leinen mit
DMC-Sticktwist, Größe ca. 12 cm x 12 cm
Als Packung Art.-Nr. 642-361
Als Muster Art.-Nr. 642-361M

Bunt sind schon die Wälder, 10-fädiges Leinen mit
DMC-Sticktwist, Größe ca. 8 cm x 5 cm
Packung Art.-Nr. 642-429

77

SommerFrische
144 Seiten, 21,5 x 27 cm, Hardcover
Art.-Nr. 4001
ISBN 978-3-940193-07-0

WohnGlück
144 Seiten, 21,5 x 27 cm, Hardcover
Art.-Nr. 4010
ISBN 978-3-940193-16-2

Glanzstücke
100 Seiten, 21,5 x 27 cm, Hardcover
Art.-Nr. 4002
ISBN 978-3-940193-08-7

Glückspilze
64 Seiten, 21,5 x 27 cm, Hardcover
Art.-Nr. 4097
ISBN 978-3-940193-24-7

Sommerland
128 Seiten, 21,5 x 27 cm, Hardcover
Art.-Nr. 4096
ISBN 978-3-940193-03-2

Schwedensommer, Sonderedition
100 Seiten, 21,5 x 27 cm, Hardcover
Art.-Nr. 4013
ISBN 978-3-940193-18-6

Lavendelsommer, Sonderedition
100 Seiten, 21,5 x 27 cm, Hardcover
Art.-Nr. 4012
ISBN 978-3-940193-19-3

Frühlingsträume
100 Seiten, 21,5 x 27 cm, Hardcover
Art.-Nr. 4017
ISBN 978-3-940193-23-0

Mein Gartenjahr
70 Seiten, 21 x 29,7cm, Hardcover
Art.-Nr. 4003
ISBN 978-3-940193-09-4

Gartenpoesie
72 Seiten, 21 x 29,7cm, Hardcover
Art.-Nr. 4094
ISBN 978-3-940193-01-8

Weihnachtsglanz
100 Seiten, 21,5 x 27 cm, Hardcover
Art.-Nr. 4008
ISBN 978-3-940193-14-8

Besuchen Sie unseren Internetshop.
Dort finden Sie alles rund um die kreative Handarbeit, schönes Kunsthandwerk, Geschenk papiere, Porzellan und vieles mehr.

www.acufactum.de

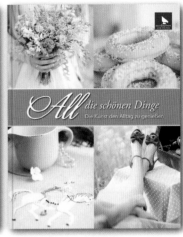

Poesie der kleinen Dinge
144 Seiten, 21,5 x 27 cm, Hardcover
Art.-Nr. 4011
ISBN 978-3-940193-17-9

Die Kunst der feinen Fäden
160 Seiten, 21,5 x 27 cm, Hardcover
Art.-Nr. 4019
ISBN 978-3-940193-26-1

Zuckerguss & Liebe
128 Seiten, 21,5 x 27 cm, Hardcover
Art.-Nr. 4022
ISBN 978-3-940193-29-2

All die schönen Dinge
128 Seiten, 21,5 x 27 cm, Hardcover
Art.-Nr. 4023
ISBN 978-3-940193-30-8

Liebe Lotti
176 Seiten, 21,5 x 27 cm, Hardcover
Art.-Nr. 4020
ISBN 978-3-940193-27-8

Rosen für Dich
100 Seiten, 21,5 x 27 cm, Hardcover
Art.-Nr. 4016
ISBN 978-3-940193-22-3

Winterwunderland
160 Seiten, 21,5 x 27 cm, Hardcover
Art.-Nr. 4021
ISBN 978-3-940193-28-5

Advent im Winterwald
112 Seiten, 21,5 x 27 cm, Hardcover
Art.-Nr. 4007
ISBN 978-3-940193-13-1

WeihnachtsGlück
112 Seiten, 21,5 x 27 cm, Hardcover,
Mit Vorlagen-CD, Art.-Nr. 4014
ISBN 978-3-940193-20-9

Hüttenzauber
224 Seiten, 21,5 x 27 cm, Hardcover
Art.-Nr. 4095
ISBN 978-3-940193-02-5

Impressum

1. Auflage 2013
Herausgeberin: Ute Menze
Verlag acufactum Ute Menze
Buchenstraße 11 • 58640 Iserlohn-Hennen
Tel.: 02304 91097-0 • Fax: 02304 91097-26
E-Mail: info@acufactum.de
Internet: www.acufactum.de

Idee, Konzept und Realisation: Der feine Faden und acufactum
Fotografie, Gestaltung und Satz: acufactum, Iserlohn

Stickmotive

• Katharina Dirichs: Seite 52 und 53
• Irmgard Helms: Seite 72 und 73
• Regina Irlenborn: Seite 66 und 67
• Karin von Winterfeld: Seite 54 bis 65, 68, 69 und 71

Druck: Mohn Media Mohndruck GmbH, Gütersloh
ISBN 978-3-940193-31-5

Wichtiger Hinweis
Die im Buch veröffentlichten Ratschläge wurden vom Verlag sorgfäl-
tig geprüft. Eine Garantie kann jedoch nicht übernommen werden.
Ebenso ist eine Haftung des Verlags für Personen-, Sach- oder Ver-
mögensschäden ausgeschlossen.

Bibliografische Information Deutsche Nationalbibliothek
Die Deutsche Nationalbibliothek verzeichnet diese Publikation in
der Deutschen Nationalbibliografie; detaillierte bibliografische Da-
ten sind im Internet über http://d-nb.de abrufbar.